MANAGEMENT : PERSPECTIVES ET DIMENSIONS

Richard Déry

Management : perspectives et dimensions
Richard Déry

Catalogage avant publication

Déry, Richard
Management : perspectives et dimensions

ISBN 978-2-923710-01-3

1. Gestion 2. Ressources humaines
3. Théorie des organisations

Éditions JFD
4781 de Tonty
Montréal (Québec)
Canada H1T 2B9
Téléphone : 514-999-4483
Courriel : info@editionsjfd.com

ISBN 978-2-923710-01-3
Dépôt légal : 1er trimestre 2009
Bibliothèque et Archives nationales du Québec

Imprimé au Canada

TABLE DES MATIERES

LES PERSPECTIVES ET LES STYLES DE GESTION

LES PERSPECTIVES ET LES STYLES DE GESTION

Pour composer avec la richesse et la complexité des organisations, la gestion met en jeu quatre grandes perspectives de compréhension et d'intervention soit :

- La perspective technique
- La perspective politique
- La perspective symbolique
- La perspective psychologique

Chacune de ces perspectives permet d'aborder d'une façon particulière les organisations et chacune d'elles se décline en une diversité d'habiletés pratiques, de leviers d'action et de chantiers d'intervention[1].

Dans le cours de leurs actions, les gestionnaires mobilisent, d'une certaine façon, l'ensemble des perspectives de gestion. Toutefois, chaque gestionnaire a aussi tendance à privilégier l'une ou l'autre des perspectives et, ce faisant, à adopter un certain style de gestion. Bien sûr, aucun style n'est, en soi, supérieur aux autres et il n'existe pas une telle chose qu'un style infaillible et universel de gestion, style qui serait adapté à toutes les situations et à tous les gestionnaires.

Tout en reconnaissant qu'il est particulièrement difficile d'opter pour un style de gestion qui ne nous est pas naturel, chacun de nous peut tout de même enrichir son style naturel en s'ouvrant aux possibilités qu'offrent les autres styles. Pour y parvenir, il faut d'abord prendre conscience de notre style naturel de gestion. Par la suite, il s'agit d'y incorporer certains aspects des autres styles qui peuvent le compléter sans le dénaturer.

LES STYLES DE GESTION

Pour chacune des questions suivantes, vous devez ordonner les énoncés A, B, C et D par ordre de préférence. Alors que le chiffre 1 témoignera que l'énoncé est celui que vous préférez ou alors celui avec lequel vous êtes le plus en accord, le chiffre 4 indiquera plutôt que l'énoncé est celui qui est le plus éloigné de votre préférence ou celui avec lequel vous êtes le moins en accord. Les chiffres 2 et 3 marqueront, bien sûr, les résultats intermédiaires entre les deux pôles opposés du continuum. Inscrivez l'ordre de vos préférences (de 1 à 4) dans les carrés gris sous les énoncés et au-dessus des lettres A, B, C et D.

QUESTION #1
Lors de l'analyse des situations de gestion, je préfère centrer mon attention sur :

Les objectifs généraux de l'organisation	Les intérêts des groupes et des individus	Les valeurs générales de l'organisation	Les besoins et les attentes des individus
A	**B**	**C**	**D**

QUESTION #2
La planification doit principalement prendre appui sur :

Les données objectives de l'environnement	Les données informelles de l'organisation	La sagesse des membres de l'organisation	La volonté subjective du personnel
A	**B**	**C**	**D**

LES STYLES DE GESTION

QUESTION #3
Pour construire un avantage concurrentiel, il est préférable de miser sur :

Le produit et les ressources tangibles	Le pouvoir de négociation de l'organisation	L'expérience et le savoir-faire de l'organisation	Le savoir et la motivation du personnel
A	**B**	**C**	**D**

QUESTION #4
Un plan d'action a plus de chance de se réaliser lorsqu'il est fondé sur:

L'analyse et l'expertise	Le soutien de la haute direction	Les conseils des plus expérimentés	Le soutien du personnel
A	**B**	**C**	**D**

QUESTION #5
Il est préférable que la planification soit principalement:

Un processus objectif	Un processus de négociation	Une occasion de rassemblement	Une occasion de participation
A	**B**	**C**	**D**

QUESTION #6
Pour mener à terme un changement, je préfère miser sur :

Un solide plan d'action et sur ma rigueur	Mes relations d'influence et mon pouvoir	Les façons de faire de l'organisation	La volonté et la motivation du personnel
A	**B**	**C**	**D**

LES STYLES DE GESTION

QUESTION #7
Je préfère confier des mandats à la personne :

La plus efficace	La plus influente	La plus respectueuse	La plus empathique
A	**B**	**C**	**D**

QUESTION #8
Une structure c'est d'abord et avant tout :

Un ensemble de tâches et de rôles	Un partage des pouvoirs entre des groupes	Le reflet de l'histoire de l'organisation	Un milieu de vie
A	**B**	**C**	**D**

QUESTION #9
Coordonner c'est d'abord et avant tout :

Mettre en œuvre un cadre administratif	Négocier et gérer des conflits	Construire un esprit de corps	Mobiliser le personnel
A	**B**	**C**	**D**

QUESTION #10
La communication organisationnelle doit principalement être :

Un processus de transmission d'informations	Un processus informel d'influence	Le partage d'une histoire commune	Un échange de sentiments et de besoins
A	**B**	**C**	**D**

LES STYLES DE GESTION

QUESTION #11
Les personnes résistent au changement principalement parce qu'il:

N'a pas été bien expliqué	Menace le pouvoir de certains	Chamboule les routines et la tradition	Est une source d'insécurité psychologique
A	**B**	**C**	**D**

QUESTION #12
Les personnes sont principalement motivées par :

La rémunération financière	Le pouvoir et le prestige	Le sens qu'elles donnent à leur travail	Le travail qu'elles réalisent
A	**B**	**C**	**D**

QUESTION #13
Le contrôle de gestion doit principalement être :

Un système d'information	Un outil de récompense et de sanction	Un rituel nécessaire et stimulant	Un incitatif au dépassement
A	**B**	**C**	**D**

QUESTION #14
Les principaux défis de l'organisation sont:

La construction d'un avantage concurrentiel	La construction d'un système de gouvernance	La construction d'une identité commune	La gestion des ressources humaines
A	**B**	**C**	**D**

LES STYLES DE GESTION

QUESTION #15
Parmi l'ensemble des rôles de gestion, je préfère :

Planifier, organiser et contrôler	Négocier, influencer et argumenter	Rassembler, intégrer et guider	Motiver, dialoguer et encourager
A	**B**	**C**	**D**

QUESTION #16
Les principales qualités que je valorise sont :

La performance, l'efficacité et le professionnalisme	La combativité, la fougue et la détermination	Le respect, la loyauté et la sagesse	La motivation, l'écoute et la curiosité
A	**B**	**C**	**D**

QUESTION #17
Les principaux leviers d'action sont :

Les objectifs, les budgets et la délégation	Le pouvoir, les ressources et les règles	Les visions, les valeurs et les symboles	Les défis, la reconnaissance et les sentiments
A	**B**	**C**	**D**

QUESTION #18
Le titre que je préfère est celui de :

Expert	Négociateur	Guide	Psychologue
A	**B**	**C**	**D**

LES STYLES DE GESTION

QUESTION #19
Une organisation c'est principalement :

Une machine productive	Un système politique	Une culture partagée	Un lieu de réalisation
A	**B**	**C**	**D**

QUESTION #20 :
La pratique de la gestion est fondamentalement une réalité :

Technique	Politique	Symbolique	Psychologique
A	**B**	**C**	**D**

LES STYLES DE GESTION

De façon à faciliter l'interprétation des résultats, les réponses à chacune des questions doivent être reportées dans le tableau qui suit. De plus, il faut indiquer, au bas du tableau, le total des chiffres de chacune des colonnes.

QUESTIONS	A	B	C	D
#1	1	4	2	3
#2	2	1	3	4
#3	1	2	3	4
#4	2	3	4	1
#5	2	4	3	1
#6	2	3	4	1
#7	1	2	4	3
#8	3	2	4	1
#9	4	2	3	1
#10	1	2	3	4
#11	3	4	1	2
#12	1	3	4	2
#13	4	2	1	3
#14	1	4	2	3
#15	4	2	1	3
#16	2	4	1	3
#17	2	3	1	4
#18	2	3	1	4
#19	2	4	1	3
#20	2	1	3	4
TOTAL	42	55	49	54

LES STYLES DE GESTION

Bien que ce questionnaire n'ait rien de scientifique, il permet tout de même d'amorcer une réflexion et une discussion sur les différentes perspectives et dimensions de la gestion, sur les habiletés qu'elles mettent en jeu, sur les leviers qu'elles proposent et sur les chantiers d'intervention pour lesquelles elles paraissent les plus pertinentes. Le questionnaire cherche notamment à mettre au jour les préférences pour l'un ou l'autre des styles de gestion suivants :

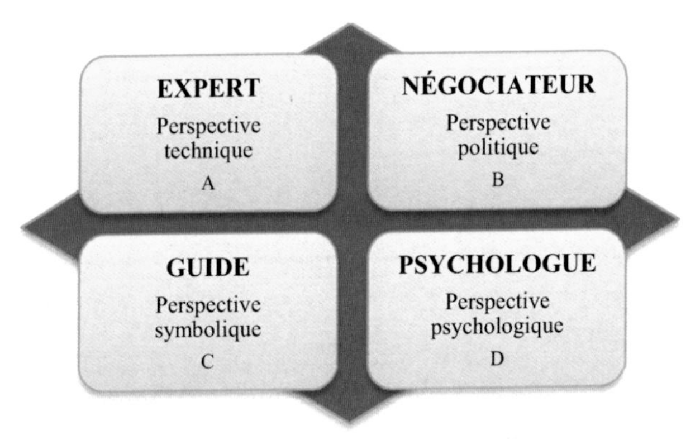

Le gestionnaire qui se livre candidement au jeu du questionnaire arrive à mettre au jour sa préférence pour l'un ou l'autre de ces styles, puisque l'addition des chiffres de chacune des colonnes fait apparaître un ordre de préférence en matière de style de gestion. C'est ainsi que plus le total est faible, plus cela indique une préférence pour le style et, inversement, plus le total est élevé, moins le style de gestion paraît correspondre aux préférences du répondant. Bien sûr, tout cela n'est qu'indicatif et la réalité pratique est nettement plus complexe que ce que permet de mettre au jour un tel questionnaire. Cela dit, le questionnaire a tout de même l'avantage d'indiquer les styles que chacun doit tout particulièrement développer.

LA PERSPECTIVE TECHNIQUE

LA PERSPECTIVE TECHNIQUE

LA PERSPECTIVE TECHNIQUE

Dans la perspective technique, l'accent est mis principalement sur la réalité formelle de l'organisation et sur une quête perpétuelle de performance objectivement mesurée[2]. Sous ce regard, l'organisation apparaît alors fondamentalement comme :

- une structure hiérarchique formelle
- un système stratégique d'allocation de ressources rares
- un enchevêtrement de processus d'affaires.

Combiner la structure, la stratégie et les processus d'affaires représente le cœur de l'action administrative technique, ce qui lui donne sa consistance et son efficacité.

Sous l'éclairage de la perspective technique, les gestionnaires jouent le rôle d'expert en misant, d'abord, sur des habiletés de planification, d'organisation et de contrôle, puis en maniant les leviers de gestion que sont les objectifs, la délégation et les budgets et, enfin, en réalisant les principaux chantiers techniques que sont la mise en œuvre d'une stratégie concurrentielle, l'implantation de structures flexibles et la réingénierie des processus d'affaires.

Par ailleurs, la perspective technique centre l'attention des gestionnaires sur des méthodes formelles et analytiques de gestion et met fondamentalement l'accent sur la productivité et la rentabilité. Du coup, elle peut donner lieu à un véritable choc des méthodes avec, d'un côté, les méthodes techniques et, de l'autre, des méthodes centrées davantage sur les personnes.

LES HABILETÉS TECHNIQUES : PLANIFIER

Première des habiletés techniques que tous les gestionnaires doivent posséder, l'habileté à planifier est souvent considérée comme étant la plus décisive des habiletés techniques, car c'est elle qui oriente l'action et encadre les autres habiletés techniques. Il est donc crucial que tous les gestionnaires développent leur habileté à planifier, notamment par la rédaction et l'utilisation de plans formels d'action.

DIAGNOSTIC DE L'HABILETÉ À PLANIFIER

		OUI	NON
1.	L'unité administrative possède un plan formel d'action	☐	☐
2.	Tous les membres de l'unité connaissent le plan d'action	☐	☐
3.	Le plan est structuré autour d'une idée clairement énoncée	☐	☐
4.	Le plan comporte des objectifs clairement définis	☐	☐
5.	Les objectifs sont précis, quantifiables et réalistes	☐	☐
6.	Les objectifs sont cohérents les uns aux autres	☐	☐
7.	Chaque objectif se décline en activité à accomplir	☐	☐
8.	Chaque objectif se double de ressources clairement identifiées	☐	☐
9.	Le plan hiérarchise les objectifs par ordre de priorité	☐	☐
10.	Le plan fixe les responsabilités des membres de l'unité	☐	☐
11.	Le plan comprend un échéancier précis de réalisation	☐	☐
12.	Le plan est consulté et discuté au moins une fois par mois	☐	☐
13.	Le plan comprend des marges de manœuvre précises	☐	☐
14.	Le plan est cohérent avec ceux des autres unités	☐	☐
15.	Le plan d'action est simple, précis, réaliste et stimulant	☐	☐

Une majorité de réponses positives à ces questions témoigne d'une certaine habileté en matière de planification.

LES HABILETÉS TECHNIQUES : ORGANISER

Seconde des habiletés techniques que tout gestionnaire doit forcément posséder, l'habileté à organiser permet au gestionnaire de mettre en place des structures efficaces, de définir des rôles et de cerner les bons mécanismes de coordination.

DIAGNOSTIC DE L'HABILETÉ À ORGANISER

		OUI	NON
1.	L'unité administrative possède un organigramme formel	☐	☐
2.	Les relations d'autorité et de conseil sont clairement définies	☐	☐
3.	Les relations de communication sont clairement définies	☐	☐
4.	Tous comprennent très bien ce qu'est leur rôle	☐	☐
5.	Chaque rôle comporte des objectifs précis à atteindre	☐	☐
6.	Chaque rôle est constitué de tâches clairement définies	☐	☐
7.	Les responsabilités de chacun sont clairement définies	☐	☐
8.	L'autorité de chacun est claire et légitime	☐	☐
9.	Chaque rôle requiert des connaissances et des habiletés précises	☐	☐
10.	La charge de travail de l'unité est équitablement répartie	☐	☐
11.	Les réunions de travail sont efficaces	☐	☐
12.	Pour chaque réunion de travail, il y a un ordre du jour	☐	☐
13.	L'ordre du jour comporte toujours des objectifs à atteindre	☐	☐
14.	Il est indispensable d'assister aux réunions de l'unité	☐	☐
15.	La coordination de l'unité est harmonieuse	☐	☐

Une majorité de réponses positives à ces questions témoigne d'une certaine habileté en matière d'organisation.

LES HABILETÉS TECHNIQUES : CONTRÔLER

Troisième des habiletés techniques que tout gestionnaire doit posséde l'habileté à contrôler permet au gestionnaire d'avoir un systèn d'information qui, en cours de route, facilite les ajustements requis po atteindre les objectifs planifiés.

DIAGNOSTIC DE L'HABILETÉ À CONTRÔLER

		OUI	NON
1.	L'unité administrative possède un système d'information	☐	☐
2.	Le système d'information est construit autour des objectifs	☐	☐
3.	Les objectifs se déclinent en indicateurs de performance	☐	☐
4.	Les indicateurs de performance sont simples, précis et fiables	☐	☐
5.	Les postes de travail ont des indicateurs de performance	☐	☐
6.	Chaque ressource fait l'objet d'indicateurs de performance	☐	☐
7.	Chaque activité fait l'objet d'indicateurs de performance	☐	☐
8.	Tous comprennent et acceptent les indicateurs de performance	☐	☐
9.	L'évaluation du rendement est faite sur une base régulière	☐	☐
10.	Les écarts de performance sont fréquemment analysés	☐	☐
11.	Les causes des écarts de performance sont discutées en équipe	☐	☐
12.	Les correctifs des écarts sont rapidement mis en œuvre	☐	☐
13.	Les contrôles sont des occasions d'apprentissage	☐	☐
14.	Le système de contrôle est adapté aux situations	☐	☐
15.	Le contrôle de gestion est une activité stimulante	☐	☐

Une majorité de réponses positives à ces questions témoigne d'une certain habileté en matière de contrôle de gestion.

LES LEVIERS TECHNIQUES : LES OBJECTIFS

Les objectifs sont le principal levier technique, celui qui encadre l'action de tous, celui qui donne un sens à l'action et à l'utilisation des ressources de l'organisation. Pleinement conscients de la centralité des objectifs, les gestionnaires peuvent alors mettre en œuvre une véritable gestion par objectif[3], gestion qui se décline en 7 étapes :

FORMULER LES INTENTIONS STRATÉGIQUES

- Mission, métier, vision
- *Quelle est la stratégie de notre organisation?*

TRADUIRE LES INTENTIONS EN OBJECTIFS GÉNÉRAUX

- Chaque unité administrative doit avoir un objectif général à atteindre
- *De quelle façon les unités contribuent-elles à la stratégie?*

DIFFUSER LES OBJECTIFS

- Les objectifs sont diffusés auprès de tous les membres de l'organisation
- *Les objectifs sont-ils simples, réalistes et faciles à comprendre?*

NÉGOCIATION DES OBJECTIFS

- À chaque palier hiérarchique, il doit y avoir une entente sur les objectifs à réaliser
- *Chacun connaît-il et accepte-t-il les objectifs à réaliser?*

ÉVALUATION DES PROGRÈS

- Les progrès dans la réalisation des objectifs sont régulièrement évalués
- *Les moments d'évaluation sont-ils connus de tous? Existe-t-il des échéanciers précis de réalisation?*

ENTENTE SUR LES CORRECTIFS

- Lorsque l'évaluation met au jour des écarts, des mesures correctives sont mises en oeuvre
- *Les membres de l'organisation acceptent-ils les mesures correctives?*

ENTENTE SUR LES INCITATIFS

- La réalisation des objectifs s'accompagne de mesures incitatives telle une rémunération additionnelle
- *Les membres de l'organisation valorisent-ils les mesures incitatives?*

LES LEVIERS TECHNIQUES : LA DÉLÉGATION

Dans la perspective technique, la délégation est tout à la fois un levier de mobilisation et de responsabilisation du personnel et une technique qui vise à répartir avec efficacité l'autorité et les responsabilités au sein des unités administratives.

ANALYSE DES AVANTAGES ET DES INCONVÉNIENTS

- Inconvénients: perte de contrôle, temps de formation, dépendance envers le personnel, etc.; Avantages: éviter la surcharge, mobilisation et responsabilisation du personnel, préparer la relève, etc.
- *Les avantages sont-ils supérieurs aux inconvénients?*

ANALYSE DES TÂCHES

- Inventaire des tâches, temps requis pour les réaliser, importance relative, urgence des tâches
- *Quelles tâches puis-je éliminer? Quelles tâches suis-je le seul à pouvoir réaliser? Quelles tâches puis-je déléguer après avoir formé mes collaborateurs? Quelles tâches vais-je déléguer?*

ÉVALUATION DU PERSONNEL

- Inventaire des compétences requises, identification des besoins de formation, recensement des collaborateurs potentiels, choix des collaborateurs
- *En qui puis-je avoir confiance? Qui puis-je responsabiliser et mobiliser?*

DÉLÉGATION

- Expliquer la tâche à déléguer, clarifier le degré d'autorité délégué, évoquer les ressources disponibles, planifier les relations de soutien et les besoins de formation, s'entendre sur ce qui est délégué
- *La délégation est-elle claire, simple et précise?*

SUIVI

- Revenir sur les objectifs de la délégation, mettre au jour les résultats, analyser les écarts, revoir les activités de soutien et les activités de formation, définir de nouveaux objectifs
- *La nouvelle démarche est-elle claire?*

LES LEVIERS TECHNIQUES : LE BUDGET

Au regard de la perspective technique, fixer des objectifs est certes une condition nécessaire à une bonne gestion, mais cela n'est pas suffisant. Il faut, en effet, traduire tous les objectifs en termes de budget. Du coup, les membres de l'organisation doivent non seulement réaliser les objectifs, ils doivent aussi le faire dans le cadre précis de cibles budgétaires.

LES ACTIVITÉS

- Traduire tous les objectifs en activités
- *Quelles sont les activités prioritaires et déterminantes? Quelles sont les activités superflues?*

LES RESSOURCES

- Traduire les activités en termes de ressources
- *Quelles sont les ressources prioritaires et déterminantes? Sont-elles disponibles? Peut-on les acquérir? Les développer?*

LES RESSOURCES FINANCIÈRES

- Traduire les ressources en termes financiers
- *Le poids financier des ressources utilisées témoigne-t-il de leur importance pour la réalisation des objectifs prioritaires?*

LA COMMUNICATION

- Diffuser le budget et l'utiliser comme cadre de communication
- *Les membres de l'organisation comprennent-ils le budget? L'acceptent-ils? L'utilisent-ils?*

LA MOTIVATION

- Le budget doit se décliner en cibles réalistes et tous les membres de l'organisation doivent atteindre des cibles budgétaires précises
- *Les cibles budgétaires sont-elles motivantes?*

L'ÉVALUATION DU RENDEMENT

- Le budget doit servir de cadre financier à l'évaluation du rendement des membres de l'organisation
- *Les membres de l'organisation savent-ils que leur évaluation est liée à l'atteinte des cibles budgétaires?*

LES CHANTIERS TECHNIQUES : LA STRATÉGIE

Premier chantier technique, la réflexion stratégique consiste à identifier des options qui permettent à l'organisation d'avoir un avantage concurrentiel qui soit tout à la fois **distinctif**, **valorisé** par les clients et **robuste**[4]. La recherche d'un tel avantage passe par l'analyse de l'identité collective, de l'organisation, de l'environnement et s'accompagne d'une définition de la mission de l'organisation, de son métier et de la position concurrentielle recherchée.

	DIAGNOSTIC	AVANTAGE CONCURRENTIEL	INTENTIONS
IDENTITÉ *Valeurs*	Avantages - Inconvénients - -	Distinctif Valorisé Robuste	– – – –
ORGANISATION *Capacité stratégique*	Forces - - Faiblesses - -	Distinctif Valorisé Robuste	– – – –
ENVIRONNEMENT *Dynamique concurrentielle*	Occasions - - Menaces - -	Distinctif Valorisé Robuste	– – – –
MISSION *Raison d'être*	Pertinence - - Possibilités - -	Distinctif Valorisé Robuste	– – – –
MÉTIER *Savoir-faire*	Efficacité - - Possibilités - -	Distinctif Valorisé Robuste	– – – –
POSITION *Positionnement*	Légitimité - - Positionnement - -	Distinctif Valorisé Robuste	– – – –

LES CHANTIERS TECHNIQUES : LA STRUCTURE

La mise en œuvre d'une structure flexible est le second grand chantier technique. Concrètement, par des efforts de rationalisation des activités, de restructuration des rôles et de responsabilisation du personnel, l'organisation se dote d'une structure flexible et efficace.

	ANALYSE	DIAGNOSTIC	INTENTIONS
RATIONALISATION *Les activités*	• Logistique • Opérations • Ventes • GRH • Finances • TI • Comptabilité • Infrastructure	Valeur ajoutée – – – – –	Suppression Impartition – – – – – –
RESTRUCTURATION *Les rôles*	• Haute direction • Cadres intermédiaires • Superviseurs • Conseillers • Opérateurs	Capacité stratégique – – – – –	Suppression Remodelage – – – – –
RESPONSABILISATION *Le travail*	• Objectifs à atteindre • Connaissances requises • Ressources disponibles • Décisions à prendre	Autorité et responsabilité – – – – – –	Remodelage – – – – – – –

LES CHANTIERS TECHNIQUES : LES PROCESSUS

Le chantier de la réingénierie des processus accompagne les deux autres chantiers et, parfois, sert même de préalable à leur réalisation[5]. Par ce troisième chantier, il s'agit de redessiner l'organisation en centrant l'attention sur les processus de gestion, d'opération et de soutien qui sont au fondement de l'organisation. D'un certain point de vue, il s'agit de tourner le dos aux logiques fonctionnelles pour embrasser une logique multifonctionnelle et transversale dans laquelle l'accent est mis sur la valeur des processus au regard des clients, sur leur potentiel productif et sur les difficultés de coordination. Après avoir identifié les processus critiques de l'organisation, les gestionnaires cherchent à les optimiser souvent à l'aide des technologies de l'information. L'optimisation nécessite fréquemment l'abandon ou le remodelage de certains processus, ainsi que la création de nouveaux processus.

PROCESSUS	VALEUR STRATÉGIQUE	POTENTIEL PRODUCTIF	COORDINATION	OPTIMISATION
GESTION	– – – – – –	– – – – – –	– – – – – –	– – – – – –
OPÉRATION	– – – – – –	– – – – – –	– – – – – –	– – – – – –
SOUTIEN	– – – – – –	– – – – – –	– – – – – –	– – – – – –

LA PERSPECTIVE TECHNIQUE : LE CHOC DES MÉTHODES

Parce que la perspective centre l'attention sur les méthodes analytiques et met fondamentalement l'accent sur la productivité et la rentabilité, elle peut donner lieu à un véritable choc des méthodes, avec d'un côté les méthodes essentiellement techniques et, de l'autre les méthodes centrées sur les personnes, celles que forgent les autres perspectives de gestion[6].

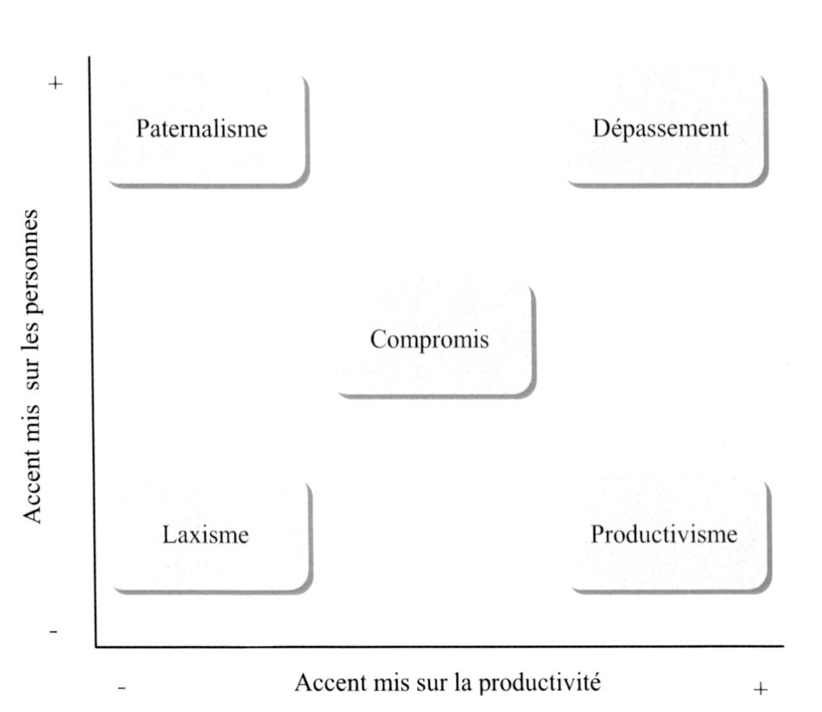

LA PERSPECTIVE TECHNIQUE : SYNTHÈSE

	PERSPECTIVE TECHNIQUE
HABILETÉS	
Planifier	– – –
Organiser	– – –
Contrôler	– – –
LEVIERS	
Objectifs	– – –
Délégation	– – –
Budget	– – –
CHANTIERS	
Stratégie	– – –
Structure	– – –
Processus	– – –

LA PERSPECTIVE POLITIQUE

LA PERSPECTIVE POLITIQUE

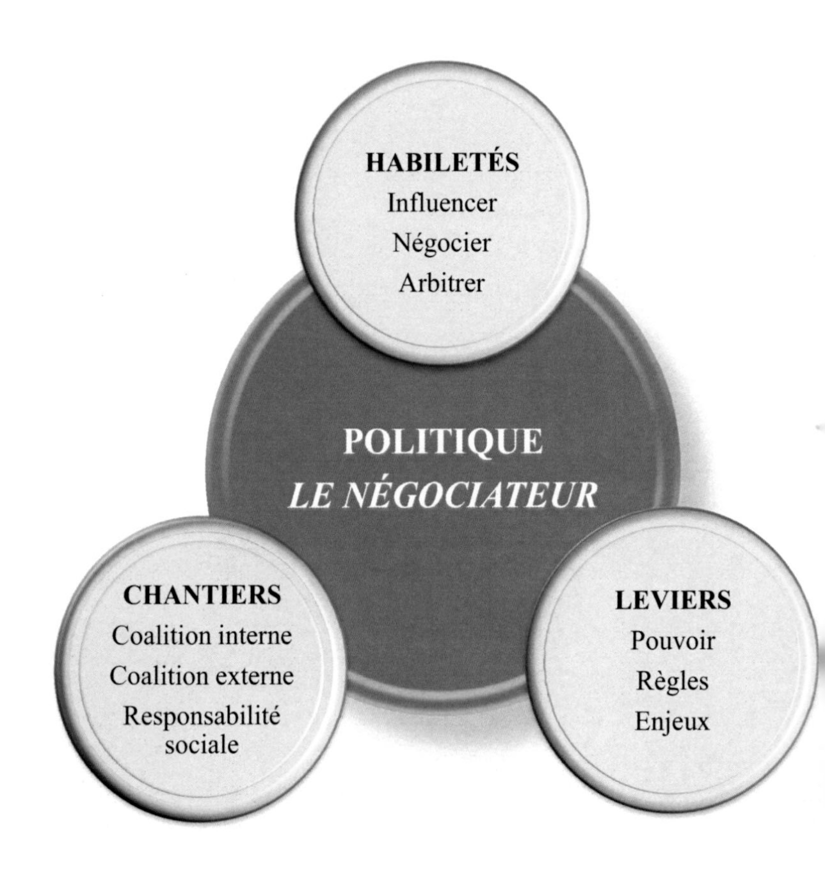

LA PERSPECTIVE POLITIQUE

Dans la perspective politique, l'accent est mis principalement sur la réalité conflictuelle de l'organisation, sur les tensions qu'elle habite et les jeux de pouvoir qui s'y déroulent[7]. Sous ce regard, l'organisation apparaît fondamentalement comme :

- un espace de conflits et de négociation permanente
- un système de gouverne politique
- un enchevêtrement de jeux politiques et d'enjeux potentiellement ou réellement conflictuels.

Combiner la négociation à la gouverne d'un collectif qui prend forme au gré des enjeux qui rassemblent et divisent ses membres est donc au cœur de la perspective politique.

Sous l'éclairage de la perspective politique, les gestionnaires jouent principalement le rôle de négociateur en misant, d'abord, sur des habiletés d'influence, de négociation et de gestion des conflits, puis en maniant les leviers de gestion que sont le pouvoir, les ressources, et les règles et, enfin, en réalisant les principaux chantiers politiques que sont la constitution de coalitions tant internes qu'externes et la mise en œuvre d'une véritable politique générale qui témoigne d'une réelle volonté d'assumer une responsabilité sociale collective.

Par ailleurs, la perspective politique centre l'attention sur les intérêts des uns et des autres et fait alors apparaître cinq grands espaces de rencontre de ces intérêts. Si l'idéal administratif est de pouvoir concilier les intérêts de tous au sein d'un véritable espace de collaboration, il n'est pas rare que dans la réalité, la rencontre des intérêts engendre plutôt des espaces conflictuels.

LES HABILETÉS POLITIQUES : INFLUENCER

Première des habiletés politiques que tous les gestionnaires doivent posséder, l'influence est fréquemment considérée comme étant la plus décisive des habiletés politiques, car c'est elle qui oriente naturellement l'action des uns et des autres.

DIAGNOSTIC DE L'INFLUENCE

		OUI	NON
1.	Je connais les intérêts personnels des membres de mon unité, ainsi que ceux des autres unités avec lesquelles je transige	☐	☐
2.	Il est légitime de chercher à combler son intérêt propre avant celui de l'organisation	☐	☐
3.	Je présente mes idées de façon à ce que chacun puisse y trouver son intérêt propre	☐	☐
4.	J'harmonise les objectifs de l'organisation aux intérêts des membres de mon équipe	☐	☐
5.	Je connais les facteurs qui influencent le comportement de mes collègues, de mes supérieurs et de mon personnel	☐	☐
6.	Mon action prend en considération les facteurs qui influencent mes collègues, mes supérieurs et mon personnel	☐	☐
7.	J'adapte mon style de gestion aux attentes de mes collègues de mes supérieurs et de mon personnel	☐	☐
8.	Je pratique l'écoute empathique autant avec mes supérieurs et mes collègues qu'avec mon personnel	☐	☐
9.	Mes argumentations tiennent compte des attentes de mes supérieurs, de mes collègues et de mon personnel	☐	☐
10.	Je questionne toujours la légitimité de mes décisions et de mes actions	☐	☐

Une majorité de réponses positives à ces questions témoigne d'une certaine habileté d'influence.

LES HABILETÉS POLITIQUES : NÉGOCIER

Seconde des habiletés politiques que les gestionnaires doivent posséder, la négociation témoigne du fait que les organisations mettent en jeu une diversité d'intérêts et d'enjeux, diversité qui cerne alors des espaces de négociation.

DIAGNOSTIC DE L'HABILETÉ À NÉGOCIER

		OUI	NON
1.	Avant d'entreprendre une négociation, je me fixe des seuils d'accord et de désaccord	☐	☐
2.	Avant d'entreprendre une négociation, j'accepte que ce soit un processus d'échanges, de concessions et de marchandage	☐	☐
3.	Je connais les forces et les faiblesses de mon adversaire et je comprends sa position	☐	☐
4.	Par mes questions, je cherche à mettre au jour les seuils d'accord et de désaccord de mon adversaire	☐	☐
5.	Je pratique l'écoute empathique, je décode le langage non verbal de mon adversaire et j'utilise le langage non verbal	☐	☐
6.	Je me garde une marge de manœuvre de façon à pouvoir faire des concessions qui me seront finalement avantageuses	☐	☐
7.	J'arrive à montrer les avantages de mes offres au regard des attentes de mon adversaire	☐	☐
8.	Je présente mes offres comme des concessions et j'accepte humblement les concessions de mon adversaire	☐	☐
9.	Je fais miennes les idées de mon adversaire et je les utilise pour faire valoir mes propres idées	☐	☐
10.	Dans mes négociations, je recherche toujours un terrain commun d'entente	☐	☐

Une majorité de réponses positives à ces questions témoigne d'une certaine habileté en matière de négociation.

LES HABILETÉS POLITIQUES : ARBITRER

Troisième des habiletés politiques que les gestionnaires doivent posséder, l'arbitrage des conflits témoigne du fait que les organisations sont un espace compétitif qui peut engendrer des mésententes, des désaccords et des affrontements qui commandent d'être gérés.

DIAGNOSTIC DES HABILETÉS À ARBITRER DES CONFLITS

		OUI	NON
1.	Je reconnais la dimension profondément humaine des conflits, j'accepte l'expression des frustrations et des émotions	☐	☐
2.	Je pratique l'écoute empathique de façon à comprendre les positions conflictuelles	☐	☐
3.	J'arrive à me mettre à la place des uns et des autres pour ainsi ressentir leurs frustrations, leurs émotions, leur point de vue	☐	☐
4.	Je reconnais la légitimité de la diversité des intérêts qui sont à la base du conflit	☐	☐
5.	Je cerne les enjeux du conflit et je mets au jour ses causes et ses conséquences	☐	☐
6.	Je conjugue toujours l'action au futur plutôt que de revenir sur le passé	☐	☐
7.	Je concentre mon attention sur les enjeux et les intérêts des parties, sans pour autant nier la dimension humaine du conflit	☐	☐
8.	J'entrevois les zones d'accords potentiels et je fixe les objectifs à atteindre	☐	☐
9.	J'invite les parties à suspendre leur jugement critique et je les fais participer à l'élaboration des solutions	☐	☐
10.	Dès qu'un accord est possible, je mets l'accent sur sa mise en œuvre, sans revenir sur le conflit	☐	☐

Une majorité de réponses positives à ces questions témoigne d'une certaine habileté en matière de gestion de conflits.

LES LEVIERS POLITIQUES : LE POUVOIR

Dans la perspective politique, le pouvoir est tout à la fois un enjeu et le principal levier d'action. Pleinement conscients de la centralité du pouvoir, les gestionnaires doivent le mettre en œuvre en gardant toujours à l'esprit qu'il est toujours une affaire de relation et que son usage est une question de légitimité. Cela dit, il existe six bases à l'exercice du pouvoir.

LES NORMES

- Les normes sociales, les règlements, les lois, les conventions, la tradition, etc.
- *Mon autorité est-elle fondée sur le respect des normes? Le fait de transgresser les normes suscite-t-il une crainte? Quelles sont les principales normes de l'organisation?*

L'EXPERTISE

- Le savoir-faire, la technique, la raison, la compétence, etc.
- *Mon autorité est-elle fondée sur l'expertise? Peut-on se passer de mon expertise? Mon expertise est-elle une source d'avantage concurrentiel?*

LE CHARISME

- Le leadership, la vision, l'émotion, la passion, etc.
- *Mon autorité est-elle fondée sur l'émotion? Les personnes s'identifient-elles à moi? Cherchent-elles à partager émotivement ma passion et ma vision?*

L'INFORMATION

- Les informations, le savoir, les idées, etc.
- *Mon autorité est-elle fondée sur mon contrôle de l'information? Quelles sont les informations valorisées dans l'organisation? Ces informations sont-elles une source d'avantage concurrentiel?*

LES GRATIFICATIONS

- Les rémunérations matérielles et symboliques, les sanctions, etc.
- *Mon autorité est-elle fondée sur la crainte? Quelles sont les récompenses valorisées dans l'organisation? Quelles sont les sanctions dissuasives?*

LES ZONES D'INCERTITUDE

- L'ambiguïté, les contradictions, le flou, l'incertitude, l'absence de règle, etc.
- *Mon autorité est-elle fondée sur mon contrôle d'une zone d'incertitude? Cette zone est-elle stable? Puis-je maintenir l'ambiguïté?*

LES LEVIERS POLITIQUES : LES RÈGLES

À l'instar de tous les jeux, le jeu politique organisationnel est encadré par des règles. D'ailleurs, obtenir le contrôle de la définition des règles du jeu est l'un des principaux enjeux politiques. De plus, utiliser des règles, en définir de nouvelles et en abolir d'autres sont des tactiques inscrites dans le fonctionnement de tous les jeux politiques.

LES RÈGLES FORMELLES

- Les règlements, les politiques, les procédures, les descriptions de tâche, les budgets, etc.
- *Les règles formelles de l'organisation limitent-elles l'expression du pouvoir informel? L'organisation doit-elle édicter de nouvelles règles?*

LES RÈGLES INFORMELLES

- Les règles construites par les groupes informels, les principes que suivent les membres des groupes, etc.
- *Les règles informelles sont-elles en contradiction avec les règles formelles? Le pouvoir qui émerge de ces règles est-il compatible avec les objectifs de l'organisation?*

LES RÈGLES TRADITIONNELLES

- Les coutumes, les routines, les métiers, le savoir-faire, etc.
- *Les règles traditionnelles sont-elles en contradiction avec les règles formelles? Le pouvoir qui émerge de ces règles est-il compatible avec les objectifs de l'organisation?*

LE CONTRÔLE DES ZONES D'INCERTITUDE

- Le contrôle d'une zone qui n'est pas régie par des règles
- *Doit-on édicter des règles pour éliminer la zone d'incertitude? À éliminer toutes les zones d'incertitude, ne risque-t-on pas de bureaucratiser l'organisation?*

LES LEVIERS POLITIQUES : LES ENJEUX

L'action politique gravite toujours autour d'enjeux autour desquels les membres de l'organisation se rassemblent, déploient leur pouvoir et adoptent des stratégies. Les gestionnaires cernent les enjeux et, par là, créent des espaces politiques où les uns et les autres expriment leur liberté d'action.

LES ENJEUX

- Les ressources, les règles, le pouvoir, les objectifs, les valeurs, etc.
- *Quels sont les enjeux que se disputent les membres de l'organisation ? Puis-je définir les enjeux? Puis-je encadrer les enjeux par des règles et des ressources? Suis-je le meneur du jeu?*

LES INTÉRÊTS

- Les motivations, les passions, les objectifs, les bénéfices, etc.
- *Quels sont les intérêts en jeu autour des enjeux? Puis-je orienter les intérêts? Dois-je mettre au jour les intérêts en cause? Dois-je redéfinir l'enjeu et ainsi modifier les intérêts?*

LES RESSOURCES

- Les ressources tangibles et intangibles
- *Quelles sont les ressources mobilisées autour de l'enjeu? Dois-je y introduire davantage de ressources? Dois-je en retrancher? Dois-je miser sur les ressources tangibles ou les intangibles?*

LES STRATÉGIES

- Les coalitions, le contrôle des zones d'incertitude, la redéfinition des règles et des enjeux, la mainmise sur les ressources, les argumentations, les conflits, la négociation, etc.
- *Quelles sont les stratégies mises en jeu? Puis-je orienter ces stratégies? Puis-je en rendre certaines légitimes et d'autres pas?*

LES CHANTIERS POLITIQUES : LES COALITIONS INTERNES

Les organisations sont des espaces politiques et les gestionnaires doivent apprendre à tisser des alliances avec les divers groupes qui composent l'organisation. En fait, de façon à forger des coalitions qui puissent donner les résultats escomptés, il convient d'analyser chacun des groupes en termes de pouvoir, d'intérêts, de forces, de faiblesses et de menaces. Lorsqu'une coalition se forme, il est impératif d'unir les parties autour d'un même intérêt commun, intérêt servi par la mise en commun des forces de chacun.

GROUPES	Pouvoir	Intérêts	Forces et faiblesses	Menaces	Terrain d'entente potentiel	Coalition souhaitable
Haute direction	- - - -	- - - -	- - - -	- - - -	- - - -	- - - -
Cadres intermédiaires	- - - -	- - - -	- - - -	- - - -	- - - -	- - - -
Superviseurs	- - - -	- - - -	- - - -	- - - -	- - - -	- - - -
Employés	- - - -	- - - -	- - - -	- - - -	- - - -	- - - -
Syndicat	- - - -	- - - -	- - - -	- - - -	- - - -	- - - -
Les conseillers internes	- - - -	- - - -	- - - -	- - - -	- - - -	- - - -
Les autres unités administratives	- - - -	- - - -	- - - -	- - - -	- - - -	- - - -

LES CHANTIERS POLITIQUES : LES COALITIONS EXTERNES

Dans le monde contemporain, non seulement les organisations sont-elles des espaces sans cesse plus politiques, elles deviennent aussi de véritables enjeux au regard des diverses parties prenantes qui gravitent autour d'elles et qui cherchent à imposer leurs choix, à combler leurs attentes et à satisfaire leurs intérêts[8]. Dans un tel contexte, les gestionnaires doivent apprendre à décoder les attentes et les intérêts des parties prenantes de l'environnement sociopolitique de leur organisation et ils doivent, surtout, chercher à tisser avec elles des alliances, à forger des coalitions animées par des objectifs et des intérêts communs.

PARTIES PRENANTES	Pouvoir	Intérêts	Forces et faiblesses	Menaces	Terrain d'entente potentiel	Coalition souhaitable
Gouvernement	- - -	- - -	- - -	- - -	- - -	- - -
Actionnaires, prêteurs et investisseurs	- - -	- - -	- - -	- - -	- - -	- - -
Associations de consommateurs	- - -	- - -	- - -	- - -	- - -	- - -
Environnementalistes	- - -	- - -	- - -	- - -	- - -	- - -
Médias	- - -	- - -	- - -	- - -	- - -	- - -
Syndicats	- - -	- - -	- - -	- - -	- - -	- - -
Communauté locale	- - -	- - -	- - -	- - -	- - -	- - -
Partenaires commerciaux	- - -	- - -	- - -	- - -	- - -	- - -

LES CHANTIERS POLITIQUES : LA RESPONSABILITÉ SOCIALE

Les humains passent l'essentiel de leur vie au sein des organisations et c'est là que les questions politiques du «mieux vivre ensemble» sont maintenant débattues. Ce faisant, les gestionnaires doivent s'ouvrir à la responsabilité sociale des entreprises (RSE) qui consiste, en accord avec les parties prenantes, à réaliser le bien commun en conciliant les exigences contradictoires des uns et des autres. Le défi politique est donc immense et passe, notamment, par la réalisation des chantiers concrets que sont l'éthique, la promotion de la diversité, l'aide aux collectivités et le développement durable.

CHANTIERS	CARACTÉRISTIQUES
L'éthique	• Adopter, diffuser et respecter un code d'éthique • Établir et respecter les droits du personnel • Créer des postes d'ombudsman et des comités de déontologie
La promotion de la diversité et des droits de la personne	• Adopter, diffuser et respecter une politique contre toutes les formes de discrimination • Promouvoir l'équité au travail • Transiger avec des fournisseurs qui respectent les droits de la personne • Favoriser le commerce équitable
L'aide aux collectivités	• Participer bénévolement au développement des organismes communautaires • S'impliquer dans les causes humanitaires, environnementales et sociales • Participer au développement économique, social et culturel de la collectivité locale
Le développement durable	• Une politique viable : concilier l'économie et l'écologie • Une politique vivable : concilier l'écologie et le social • Une politique équitable : concilier l'économie et le social • Une politique durable : concilier l'économie, l'écologie et le social • Réduire la consommation d'énergie et des ressources naturelles • Recycler tout ce qui peut l'être

LA PERSPECTIVE POLITIQUE : LE CHOC DES INTÉRÊTS

La perspective politique centre l'attention sur les intérêts des uns et des autres et fait alors apparaître cinq grands espaces de rencontre de ces intérêts. Si l'idéal administratif est de pouvoir concilier les intérêts de tous au sein d'un véritable espace de collaboration, il n'est pas rare que dans la réalité, la rencontre des intérêts engendre plutôt des espaces conflictuels.

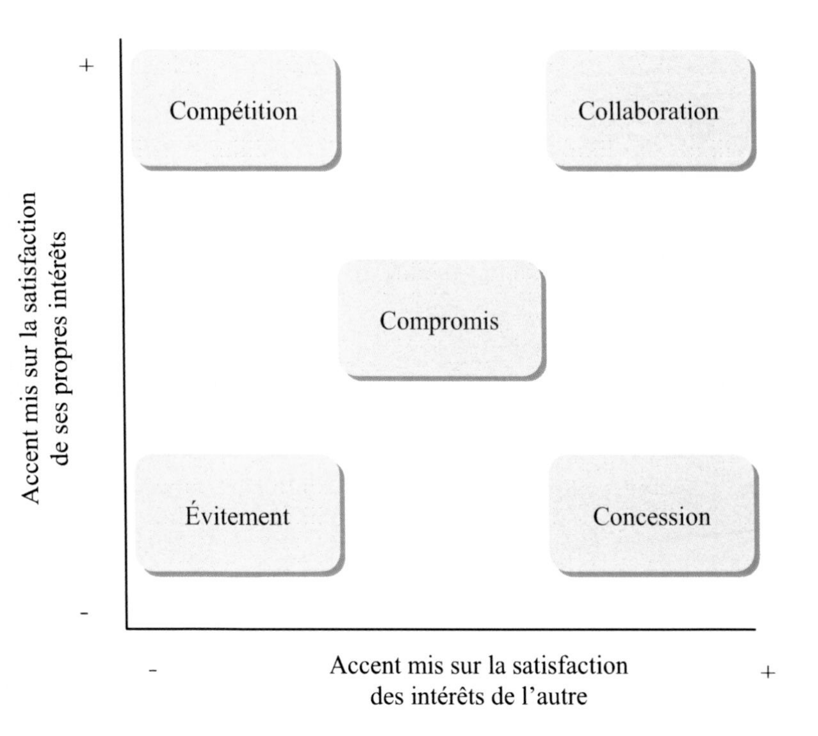

LA PERSPECTIVE POLITIQUE : SYNTHÈSE

	PERSPECTIVE POLITIQUE
HABILETÉS	
Influencer	– – –
Négocier	– – –
Arbitrer	– – –
LEVIERS	
Pouvoir	– – –
Règles	– – –
Enjeux	– – –
CHANTIERS	
Coalitions internes	– – –
Coalitions externes	– – –
Responsabilité sociale	– – –

LA PERSPECTIVE SYMBOLIQUE

LA PERSPECTIVE SYMBOLIQUE

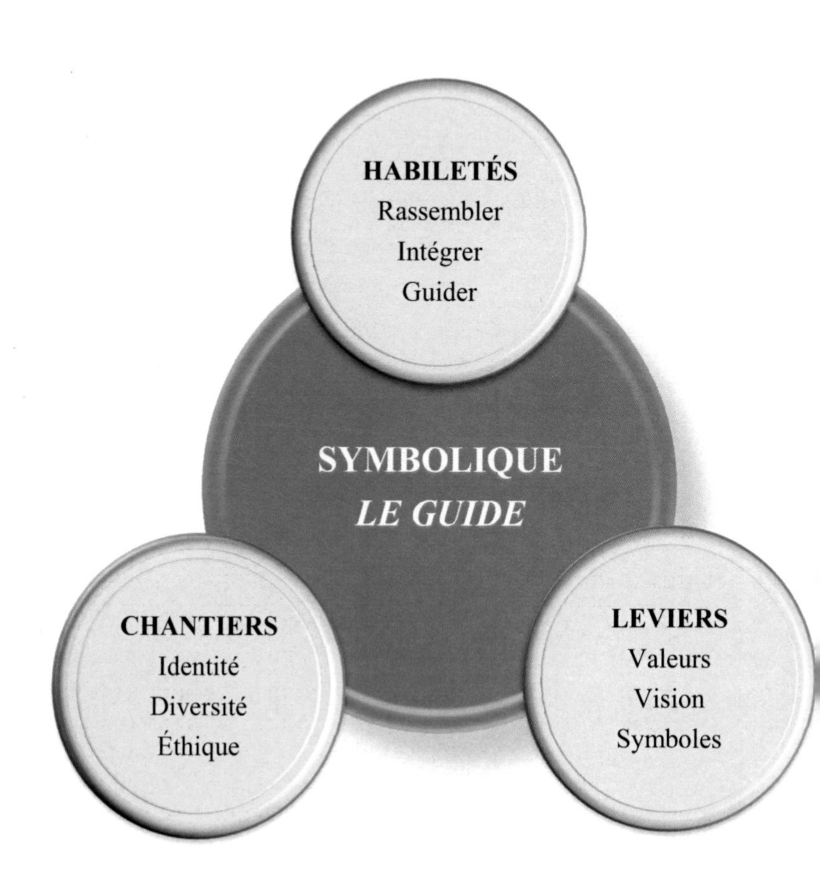

LA PERSPECTIVE SYMBOLIQUE

Dans la perspective symbolique, l'accent est mis principalement sur la réalité symbolique de l'organisation, sur les valeurs qui s'y déploient et sur la culture qui lui donne sa consistance[9]. Sous ce regard, l'organisation apparaît fondamentalement comme :

- une culture
- un espace identitaire
- un enchevêtrement de valeurs, de symboles et de normes.

Miser sur la culture de l'organisation, entretenir un sentiment identitaire envers elle et, sans cesse, cultiver les valeurs, les symboles et les normes du collectif sont au cœur de la perspective symbolique.

Sous un tel éclairage, les gestionnaires jouent le rôle de guide en comptant, d'abord, sur des habiletés de rassembleur, d'intégrateur et de guide, puis en maniant les leviers de gestion que sont les valeurs, les normes et les symboles et, enfin, en réalisant les principaux chantiers symboliques que sont la construction d'une identité collective, la gestion de la diversité et la mise en œuvre d'une éthique qui donne du sens à l'action.

Par ailleurs, la perspective symbolique centre l'attention sur les valeurs des uns et des autres et fait alors apparaître cinq grands espaces de rencontre de ces valeurs. Si l'idéal administratif est de pouvoir concilier les valeurs de tous au sein d'un véritable espace de métissage des valeurs, il n'est pas rare que dans la réalité, la rencontre des valeurs engendre plutôt des espaces conflictuels.

LES HABILETÉS SYMBOLIQUES : RASSEMBLER

Première des habiletés symboliques que tous les gestionnaires doivent posséder, rassembler le personnel autour de valeurs communes est la plus décisive des habiletés symboliques, car c'est elle qui marque l'importance de forger une identité organisationnelle qui va bien au-delà de l'addition des individualités.

DIAGNOSTIC DE L'HABILETÉ À RASSEMBLER

		OUI	NON
1.	Mon unité administrative doit avoir une identité que tous connaissent et partagent	☐	☐
2.	L'identité commune de mon unité administrative importe bien davantage que les identités individuelles	☐	☐
3.	Par mes actions et mes paroles, j'incarne l'identité commune de mon unité	☐	☐
4.	Je joue principalement le rôle de représentant de l'identité commune de mon unité administrative	☐	☐
5.	Je rappelle souvent au personnel, ainsi qu'à mes collègues, les valeurs communes qui font la grandeur de mon unité	☐	☐
6.	Les réunions sont l'occasion de célébrer notre identité commune, l'un des moments où nous reconnaissons notre différence	☐	☐
7.	Les processus de gestion ne trouvent leur pleine signification qu'au regard de leur inscription dans la culture de l'organisation	☐	☐
8.	Les valeurs autour desquelles tous se regroupent doivent être au cœur de la stratégie de l'organisation	☐	☐
9.	L'identité de l'organisation est ce qui donne son véritable sens au travail que chacun doit réaliser	☐	☐
10.	Diriger c'est essentiellement regrouper le personnel autour de valeurs communes et les utiliser comme fondement à l'action	☐	☐

Une majorité de réponses positives à ces questions témoigne d'une certaine habileté à rassembler le personnel autour de valeurs communes.

LES HABILETÉS SYMBOLIQUES : INTÉGRER

Au regard de la perspective symbolique, le gestionnaire doit composer avec la diversité des personnes et des groupes qui constituent l'organisation et, surtout, il doit créer un sentiment d'appartenance là où se trouve plutôt une très grande variété de valeurs et de normes. Il y arrive en multipliant les efforts d'intégration des uns et des autres à la tradition de l'organisation.

DIAGNOSTIC DE L'HABILETÉ À INTÉGRER

		OUI	NON
1.	Tous les membres de l'organisation connaissent son histoire et l'utilisent comme source de réflexion et d'action	☐	☐
2.	Tous les membres de l'organisation connaissent les valeurs de l'organisation et les mobilisent dans leurs actions	☐	☐
3.	Tous les membres de l'organisation connaissent les normes de l'organisation et s'y conforment	☐	☐
4.	Les nouveaux venus dans l'organisation sont jumelés aux plus expérimentés	☐	☐
5.	J'organise des fêtes, des réunions et des activités qui ont pour objectif d'intégrer les nouveaux à la culture organisationnelle	☐	☐
6.	Je connais les valeurs sur lesquelles sont fondées les actions des différentes générations qui composent l'organisation	☐	☐
7.	Je connais les valeurs sur lesquelles sont fondées les actions des différents groupes culturels de l'organisation	☐	☐
8.	Je connais les normes des différents groupes culturels, générationnels et informels de l'organisation	☐	☐
9.	Je construis des occasions de métissage des valeurs et des normes des différents groupes de l'organisation	☐	☐
10.	J'utilise le mentorat pour intégrer les nouveaux à la réalité, à l'histoire, aux pratiques et au savoir de l'organisation	☐	☐

Une majorité de réponses positives à ces questions témoigne d'une certaine habileté à intégrer le personnel à la culture organisationnelle.

LES HABILETÉS SYMBOLIQUES : GUIDER

Dans la perspective symbolique, diriger consiste essentiellement à guider avec sagesse et savoir-faire le personnel. C'est dire que le gestionnaire est bien davantage un exemple à suivre et un mentor, qu'un dirigeant dont il faut suivre les consignes.

DIAGNOSTIC DE L'HABILETÉ À GUIDER

		OUI	NON
1.	Je propose à mon personnel une vision de ce que nous pouvons devenir	☐	☐
2.	J'accompagne mon personnel dans la réalisation d'une vision à laquelle tous peuvent s'identifier	☐	☐
3.	Je rappelle fréquemment les valeurs qui doivent guider nos décisions et nos actions	☐	☐
4.	Je cherche à développer un savoir-être chez mon personnel en mettant l'accent sur le développement des bonnes attitudes	☐	☐
5.	J'établis des relations de compagnonnage avec mon personnel de façon à lui transmettre mon savoir-faire	☐	☐
6.	Je protège mon personnel, je négocie pour lui et je tente de l'introduire dans divers réseaux	☐	☐
7.	Je traduis toujours les orientations stratégiques de l'organisation en termes de valeurs à respecter, de visions à concrétiser	☐	☐
8.	Par mes actions et mes décisions, je cherche à donner l'exemple à tous les membres de mon personnel	☐	☐
9.	J'inscris l'action quotidienne des membres de mon équipe dans la trame historique de l'organisation	☐	☐
10.	Diriger c'est surtout guider chacun dans la réalisation d'une vision qui a du sens au regard de l'histoire de l'organisation	☐	☐

Une majorité de réponses positives à ces questions témoigne d'une certaine habileté à guider le personnel à réaliser la vision de l'organisation.

LES LEVIERS SYMBOLIQUES : LES VALEURS

Les valeurs sont au centre de la perspective symbolique, ce autour de quoi gravite toute la gestion, ce à partir de quoi il est possible d'ériger une véritable identité organisationnelle[10].

VALEUR DOMINANTE

- Pour qu'une organisation puisse avoir une identité caractéristique, il faut que les interactions mettent en jeu une valeur dominante, un principe supérieur commun qui sert de référence à l'action de chacun
- *Quelle est la valeur dominante de notre organisation?*

QUALITÉ RECHERCHÉE

- Pour qu'une organisation puisse avoir une identité caractéristique, il faut que les membres de l'organisation partagent certaines qualités personnelles
- *Quelle est la principale qualité valorisée par tous?*

DÉFAUT MÉPRISÉ

- Pour qu'une organisation puisse avoir une identité caractéristique, il faut que les membres de l'organisation partagent un relatif mépris pour certains défauts personnels
- *Quel est le principal défaut méprisé par tous?*

ACTION VALORISÉE

- Dans les organisations, certaines actions sont nettement plus valorisées que d'autres et pour qu'une organisation puisse avoir une identité caractéristique, il faut que les membres de l'organisation partagent un relatif engouement pour certaines actions
- *Quelles sont les actions les plus valorisées?*

RÔLE VALORISÉ

- Dans les organisations, certains rôles sont nettement plus valorisés que d'autres et pour qu'une organisation puisse avoir une identité caractéristique, il faut que les membres de l'organisation partagent une relative admiration pour certains rôles.
- *Quels sont les rôles les plus valorisés?*

LES LEVIERS SYMBOLIQUES : LA VISION

Concrétiser au quotidien une identité commune commande certes un partage de valeurs, mais c'est aussi un engagement vers l'avenir, un désir et une volonté de construire un projet commun, de réaliser une vision que tous partagent parce que chacun s'y reconnaît[11].

VISIONS PERSONNELLES

- Idée, projet, volonté, etc
- *Quelles sont les visions personnelles des membres de l'organisation?*

PARTAGE DES VISIONS PERSONNELLES

- Réunion, échange, dialogue, etc.
- *Chacun a-t-il l'occasion de faire entendre sa vision? Puis-je créer un espace dans lequel tous pourraient librement exprimer leur vision de l'organisation?*

LA VISION PARTAGÉE

- L'idée collective, le projet commun, la volonté collective, etc.
- *Avons-nous une vision commune? Une vision dans laquelle tous peuvent se retrouver et y retrouver ce qu'ils sont, qui ils sont?*

L'ADHÉSION

- L'engagement, la collaboration, la mobilisation, etc.
- *Le personnel se sent-il mobilisé par la vision commune? La vision vient-elle du personnel ou de la direction?*

LA GESTION

- Le dialogue, l'ouverture d'esprit, l'intégration des visions contradictoires, l'apprentissage, etc.
- *La vision à réaliser est-elle au coeur de mon action? Suis-je capable de maintenir l'enthousiasme et la mobilisation autour de la vision commune? Devons-nous enrichir notre vision?*

LES LEVIERS SYMBOLIQUES : LES SYMBOLES

Au regard de la perspective symbolique, tout peut avoir valeur de symbole. En effet les membres de l'organisation peuvent accorder une signification et de l'importance à tout ce qui s'y trouve et s'y fait. Les gestionnaires doivent alors apprendre à décoder le sens que les membres de l'organisation donnent à leur environnement de travail.

TITRES

- Les titres formels et informels, les rôles et les tâches
- *Quelle valeur les membres de l'organisation accordent-ils aux différents titres construits pour désigner des rôles et des tâches? Quels sont les titres les plus valorisés? Pourquoi le sont-ils? Quels sont les titres les plus méprisés? Pourquoi le sont-ils?*

TEMPS

- Le temps de travail, les cycles administratifs, la ponctualité, les horaires, les vacances, etc.
- *Qui contrôle le temps de travail? Qui a droit aux horaires flexibles? Aux horaires compressés? Qui peut choisir ses semaines de vacances? Quel est l'importance du temps dans l'organisation?*

ESPACE

- Aménagement des lieux de travail, intimité, etc.
- *L'aménagement des lieux de travail est-il fonction du pouvoir de chacun? Qui peut choisir la façon d'aménager son espace de travail? Qui peut choisir son espace de travail? Qui possède un espace intime? Qui bénéficie d'un local spacieux?*

GRATIFICATIONS

- Rémunération, récompense, distinction, prime, promotion, etc.
- *Quelles sont les principales gratifications dans l'organisation? Comment peut-on obtenir ces gratifications? Qui détermine ce que seront ces gratifications?*

LES CHANTIERS SYMBOLIQUES : L'IDENTITÉ

Premier chantier symbolique, la construction d'une identité commune est également le plus décisif des chantiers, car c'est autour de l'identité organisationnelle que se déploie la stratégie de l'organisation et c'est elle qui témoigne du sens que chacun donne à son travail. Dans le monde des organisations, nous distinguons six grandes identités organisationnelles.

IDENTITÉ	CARACTÉRISTIQUES
INNOVATION	• Accent mis sur la créativité • Créer, innover, expérimenter • Être différent, unique, original • Le créateur
PRESTIGE	• Accent mis sur le prestige • Se faire un nom, avoir une image de marque • Être un leader, lancer les modes, être influent • Le leader
TRADITIONNELLE	• Accent mis sur la tradition • Consolider, respecter, rassembler • Être une organisation familiale • L'artisan
CIVIQUE	• Accent mis sur la responsabilité sociale • S'engager, éduquer, mobiliser • Être un excellent citoyen corporatif, une institution • Le citoyen
MARCHANDE	• Accent mis sur le marché • Rivaliser, conquérir, négocier • Être dominant • Le guerrier
PROFESSIONNELLE	• Accent mis sur la performance • Planifier, organiser, contrôler • Être rationnel et efficace • L'expert

LES CHANTIERS SYMBOLIQUES : LA DIVERSITÉ

Les organisations sont des espaces humains incroyablement diversifiés. S'y croisent, entre autres, des cultures, des générations, des fonctions, des disciplines, des hommes et des femmes qui mettent en jeu des valeurs, des logiques d'action que les gestionnaires doivent, d'abord, décoder avant de pouvoir, par la suite, les combiner au sein d'une identité collective.

	CARACTÉRISTIQUES	VALEURS	CONFLITS POTENTIELS	ACTIONS DE MÉTISSAGE
L'interculturel	Valeur dominante			
	Qualité recherchée			
	Défaut méprisé			
	Action valorisée			
	Rôle valorisé			
L'intergénérationnel	Valeur dominante			
	Qualité recherchée			
	Défaut méprisé			
	Action valorisée			
	Rôle valorisé			
L'interfonctionnel	Valeur dominante			
	Qualité recherchée			
	Défaut méprisé			
	Action valorisée			
	Rôle valorisé			
L'interdisciplinaire	Valeur dominante			
	Qualité recherchée			
	Défaut méprisé			
	Action valorisée			
	Rôle valorisé			
Les genres	Valeur dominante			
	Qualité recherchée			
	Défaut méprisé			
	Action valorisée			
	Rôle valorisé			

LES CHANTIERS SYMBOLIQUES : L'ÉTHIQUE

Dans le cadre de la perspective symbolique, l'éthique fonde les valeurs qui doivent légitimement présider à l'action de tous. L'éthique définit ce qui est tout à la fois légal, moral et convenable de réaliser au sein de l'organisation.

	CARACTÉRISTIQUES
PRINCIPES	
Valeurs	– – –
Droits	– – –
Devoirs	– – –
Responsabilité sociale	– – –
RÈGLES	
Ressources humaines	– – –
Ressources naturelles	– – –
Gestion	– – –
PROCÉDURES	
Comité d'éthique	– – –
Processus de règlement des différends	– – –
Diffusion des sanctions	– – –

LA PERSPECTIVE SYMBOLIQUE : LE CHOC DES VALEURS

La perspective symbolique centre l'attention sur les valeurs des uns et des autres et fait alors apparaître cinq grands espaces de rencontre de ces valeurs. Si l'idéal administratif est de pouvoir concilier les valeurs de tous au sein d'un véritable espace de métissage des valeurs, il n'est pas rare que dans la réalité, la rencontre des valeurs engendre plutôt des espaces conflictuels.

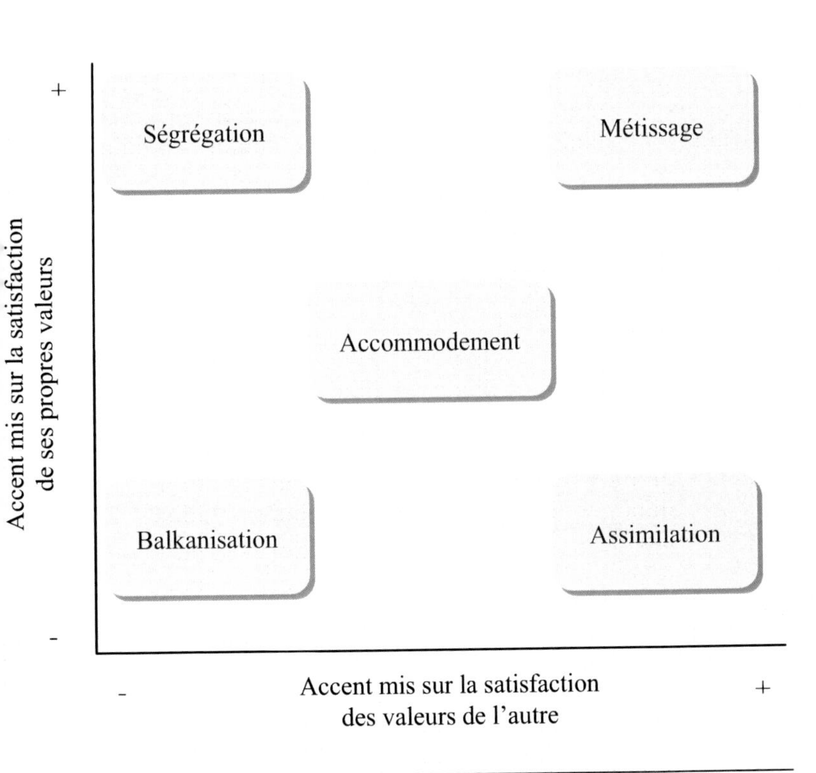

LA PERSPECTIVE SYMBOLIQUE : SYNTHÈSE

	PERSPECTIVE SYMBOLIQUE
HABILETÉS	
Rassembler	– – –
Intégrer	– – –
Guider	– – –
LEVIERS	
Valeurs	– – –
Vision	– – –
Symboles	– – –
CHANTIERS	
Identité	– – –
Diversité	– – –
Éthique	– – –

LA PERSPECTIVE PSYCHOLOGIQUE

LA PERSPECTIVE PSYCHOLOGIQUE

LA PERSPECTIVE PSYCHOLOGIQUE

Dans la perspective psychologique, l'accent est mis principalement sur la réalité psychologique de l'organisation[12]. Sous ce regard, l'organisation apparaît fondamentalement comme :

- ❖ un milieu de vie
- ❖ un espace de satisfaction de besoins
- ❖ un système humain où s'enchevêtrent des connaissances et des sentiments.

Naviguer dans un milieu profondément humain, tenter de satisfaire les besoins des uns et des autres et miser sur les connaissances et les sentiments sont donc au cœur de la perspective psychologique.

Sous un tel éclairage, les gestionnaires jouent le rôle de psychologue en misant, d'abord, sur des habiletés de motivation, de dialogue et de coaching, puis en maniant les leviers de gestion que sont les besoins, les connaissances et les équipes et, enfin, en réalisant les principaux chantiers psychologiques que sont la santé au travail, l'apprentissage organisationnel et la constitution d'équipes dynamiques et performantes.

Par ailleurs, la perspective psychologique centre l'attention sur les attentes des uns et des autres et fait alors apparaître cinq grands espaces de rencontre de ces attentes. Si l'idéal administratif est de pouvoir concilier les attentes de tous au sein d'un véritable espace de fusion des attentes, il n'est pas rare que dans la réalité, la rencontre des attentes engendre plutôt des espaces conflictuels.

LES HABILETÉS PSYCHOLOGIQUES : MOTIVER

Première des habiletés psychologiques, la motivation est au cœur de la perspective psychologique puisque c'est elle qui lie la satisfaction des besoins individuels aux impératifs de rendement. D'une certaine façon, miser sur la motivation est un moyen de construire un contrat psychologique entre le personnel et l'organisation.

DIAGNOSTIC DE L'HABILETÉ À MOTIVER

		OUI	NON
1.	Mon personnel est très productif, assidu, fidèle, soucieux de qualité et peu enclin à s'engager dans des conflits	☐	☐
2.	Pour motiver mon personnel, je peux compter sur un vaste système de gratifications variées	☐	☐
3.	Mon personnel connaît mes attentes et il sait comment obtenir les gratifications disponibles	☐	☐
4.	Le système de gratifications encourage autant la performance individuelle que le rendement d'équipe	☐	☐
5.	Au-delà du seul rendement, j'encourage toujours mon personnel à développer son plein potentiel	☐	☐
6.	J'offre à mon personnel de multiples formations susceptibles d'accroître sa compétence	☐	☐
7.	Je discute avec mon personnel des éventuelles promotions disponibles au sein de l'organisation	☐	☐
8.	Tous connaissent la contribution relative de chacun des membres de l'équipe et peuvent juger de l'équité des gratifications	☐	☐
9.	J'encourage l'initiative et la créativité en déléguant vers mon équipe nombre de tâches et de responsabilités	☐	☐
10.	Motiver mon personnel est un travail constant qui requiert mon attention quotidiennement	☐	☐

Une majorité de réponses positives à ces questions témoigne d'une certaine habileté à motiver le personnel.

LES HABILETÉS PSYCHOLOGIQUES : DIALOGUER

Au regard de la perspective psychologique, les organisations sont des lieux de paroles, des espaces de communication où le dialogue favorise l'expression des sentiments autant que la transmission des savoirs et des informations.

DIAGNOSTIC DE L'HABILETÉ À DIALOGUER

		OUI	NON
1.	Avec mon personnel, je pratique l'écoute empathique de façon à permettre l'expression des sentiments	☐	☐
2.	Lors des dialogues avec mon personnel, je mets l'accent sur l'aide que je peux offrir plutôt que sur l'évaluation de ce qui a été fait	☐	☐
3.	Les dialogues sont toujours orientés vers l'avenir, sur ce qui peut être accompli plutôt que sur le passé, sur ce qui aurait dû être fait	☐	☐
4.	Les dialogues portent toujours sur l'action à réaliser, sur les activités à accomplir et pas sur les attitudes et les personnes	☐	☐
5.	Les problèmes à résoudre, les moyens à mettre en œuvre l'emportent sur l'évaluation des comportements	☐	☐
6.	Le personnel doit toujours occuper la place centrale du dialogue et c'est donc le personnel qui doit prendre la parole.	☐	☐
7.	Mon rôle en est un de facilitateur des échanges et par mon attitude je mets en confiance mon interlocuteur.	☐	☐
8.	Par mon attitude et mon ouverture d'esprit, je favorise l'expression des sentiments	☐	☐
9.	Lors de mes dialogues, j'évite soigneusement les impressions, les rumeurs et les surprises	☐	☐
10.	J'aime jouer un rôle de facilitateur et je me sens très à l'aise avec l'expression des sentiments	☐	☐

Une majorité de réponses positives à ces questions témoigne d'une certaine habileté à dialoguer avec le personnel.

LES HABILETÉS PSYCHOLOGIQUES : COACHER

Au regard de la perspective psychologique, le gestionnaire joue son rôle de dirigeant en établissant avec son personnel une relation de coaching dans laquelle, il entretient une dynamique d'aide auprès des équipes qui doivent alors apprendre à se responsabiliser.

DIAGNOSTIC DE L'HABILETÉ À COACHER

		OUI	NO
1.	J'accorde une importance cruciale aux discussions ouvertes avec les membres de mon équipe	☐	☐
2.	Je favorise la responsabilisation de mon personnel par la délégation continue de responsabilités et d'autorité	☐	☐
3.	Je privilégie la discussion et la réflexion en groupe aux analyses réalisées par les experts	☐	☐
4.	J'encourage mon équipe à prendre des décisions et à entrevoir les moyens de les mettre en œuvre	☐	☐
5.	Les membres de mon équipe doivent se mobiliser autour d'objectifs auxquels ils adhèrent	☐	☐
6.	Mon rôle consiste principalement à présenter à mon équipe le reflet de ce qu'elle est et à ainsi développer ses compétences	☐	☐
7.	J'accompagne mon équipe dans la prise en charge de ses responsabilités	☐	☐
8.	J'accepte les erreurs et je laisse mon équipe réaliser ses tâches et atteindre ses objectifs	☐	☐
9.	J'encourage mon équipe à concevoir des manières de faire autres que celles que je leur ai apprises	☐	☐
10.	Je reste disponible pour mon équipe, mais j'escompte qu'elle puisse réaliser sans mon aide ses objectifs	☐	☐

Une majorité de réponses positives à ces questions témoigne d'une certaine habileté à coacher le personnel.

LES LEVIERS PSYCHOLOGIQUES : LES BESOINS

Depuis plus de cinquante ans, les gestionnaires connaissent la hiérarchie des besoins de Maslow[13]. Pourtant et au regard des problèmes de satisfaction sur les lieux de travail, il ressort que la satisfaction des besoins qui est au principe de la motivation pose toujours problème.

BESOINS PHYSIOLOGIQUES

- Rémunération, conditions de travail, aménagement des lieux de travail, espace de conditionnement physique, stationnement, cafétéria, garderie, salle de repos, etc.
- *Est-ce que mon organisation comble les besoins physiologiques du personnel? Est-ce que nous investissons trop d'efforts dans la satisfaction de ces seuls besoins?*

BESOINS DE SÉCURITÉ

- Plan de santé et sécurité au travail, assurances collectives, programme de retraite, souci ergonomique, plan d'aide au personnel ayant des difficultés d'ordre personnel, etc.
- *Est-ce que mon organisation comble les besoins de sécurité du personnel? Est-ce que nous investissons trop d'efforts dans la satisfaction de ces seuls besoins?*

BESOINS D'APPARTENANCE

- Des relations de travail amicales, ouvertes et chaleureuses, du travail en équipe, des activités sociales, etc.
- *L'organisation encourage-t-elle les activités sociales, le travail en équipe et accepte-t-elle la formation de groupes informels? Est-ce que je mets l'accent sur la satisfaction de ces besoins?*

BESOINS D'ESTIME

- La reconnaissance, susciter le respect, établir des relations de confiance, mettre en valeur ses compétences, etc.
- *L'organisation organise-t-elle des occasions qui permettent de souligner les mérites du personnel? Est-ce que je construis une relation de confiance avec mon personnel? Est-ce que je lui témoigne mon appréciation?*

BESOINS DE RÉALISATION DE SOI

- Résoudre des problèmes, créer, expérimenter du succès, réaliser des projets, etc.
- *L'organisation favorise-t-elle la responsabilisation du personnel? Est-ce que je favorise le développement de mon personnel? Est-ce que je lui confie des mandats importants?*

LES LEVIERS PSYCHOLOGIQUES : LES CONNAISSANCES

Les organisations sont un haut lieu de savoir. En fait, les membres de l'organisation passent leur journée à mobiliser du savoir, à en construire de nouveaux et c'est très souvent dans le savoir des membres de l'organisation que réside le véritable avantage concurrentiel que les gestionnaires cherchent à construire. Les gestionnaires doivent donc apprendre à reconnaître la diversité des savoirs et surtout, ils doivent reconnaître que le savoir-être, le savoir-faire et le savoir formel ne se transmettent pas de la même façon et commandent de leur part de jouer une diversité de rôles.

LE SAVOIR-ÊTRE

- Identité, valeurs, attitudes, comportement, etc.
- *Puis-je développer le savoir-être de mon personnel? Suis-je capable de maintenir une relation de mentorat, relation propice au développement du savoir-être?*

LE SAVOIR-FAIRE

- Savoir tacite, flair, expérience, savoir pratique, savoir contextuel, connaissance instinctive, etc.
- *Puis-je développer le savoir-faire de mon personnel? Suis-je à l'aise dans le rôle d'accompagnateur qui transmet son savoir-faire à son personnel?*

LE SAVOIR FORMEL

- Savoir explicite, expertise, règles, procédures, méthodes, techniques, informations, etc.
- *Puis-je développer le savoir formel de mon personnel? Est-ce que je suis prêt à investir en formation? Suis-je habile dans le rôle du coach qui transmet son savoir à son personnel?*

LES LEVIERS PSYCHOLOGIQUES : LES COMPÉTENCES

Si les connaissances sont un puissant levier de transformation des organisations, de nos jours les psychologues soutiennent que les émotions sont au fondement même des connaissances. Certains, tel Daniel Coleman, qualifient, d'ailleurs, la chose par l'étiquette d'*intelligence émotionnelle*, marquant bien par là, tout l'apport des émotions dans la construction d'une intelligence des relations sociales, voire même de relations sociales intelligentes[14]. Au regard des émotions qui sont en jeu, nous pouvons distinguer trois compétences personnelles (la conscience de soi, la maîtrise de soi et la motivation) et deux compétences sociales (l'empathie et les aptitudes sociales).

LA CONSCIENCE DE SOI

- La confiance en soi, l'autoévaluation, la reconnaissance des émotions
- *Est-ce que je permets à mon personnel d'être authentique? Est-ce que je lui permets d'exprimer librement ses émotions?*

LA MAÎTRISE DE SOI

- Le contrôle de soi, la fiabilité, la conscience professionnelle, l'innovation, l'adaptabilité
- *Est-ce que j'aide mon personnel à prendre conscience de la façon de gérer ses émotions? Suis-je, moi-même en contrôle de mes émotions?*

L'AUTO MOTIVATION

- L'engagement, l'initiative, l'exigence de perfection, l'optimisme
- *Est-ce que j'aide mon personnel à mettre au jour ce qui le motive, ce qui lui permet d'être efficace? Est-ce que je favorise l'éclosion des compétences?*

L'EMPATHIE

- La conscience des émotions des autres, le sens politique, l'enrichissement des autres, la passion de servir, l'exploitation de la diversité
- *Est-ce que je pratique l'écoute empathique? Est-ce que je favorise l'empathie chez mon personnel? Suis-je à l'aise avec l'expression des sentiments?*

LES APTITUDES SOCIALES

- La communication, la médiation, le changement, la mobilisation, la collaboration
- *Est-ce que je favorise la création de réseaux? Est-ce que je sollicite l'engagement de mon personnel autour de véritables objectifs communs?*

LES CHANTIERS PSYCHOLOGIQUES : LA SANTÉ

Au regard de la perspective psychologique, le gestionnaire cherche à construire un environnement de travail stimulant en reconnaissant les facteurs organisationnels qui causent le stress au travail et utilisant des moyens pour enrichir l'environnement psychologique de travail.

ENVIRONNEMENT DE TRAVAIL	INTERVENTIONS
FACTEURS DE STRESS AU TRAVAIL	
Surcharge de travail	
Sous-charge de travail	
Conflits interpersonnels	
Ambiguïté de rôle	
Demandes contradictoires	
Iniquité	
INTERVENTIONS ENRICHISSANTES	
Coaching	
Responsabilisation	
Mobilisation	
Gestion de carrière	
Horaires flexibles	
Reconnaissance	
Programme d'aide	
Formation	

LES CHANTIERS PSYCHOLOGIQUES : L'APPRENTISSAGE

Dans la perspective psychologique, construire des connaissances, miser sur l'apprentissage est un chantier permanent. Sous ce regard, le gestionnaire doit plus que jamais apprendre à gérer les connaissances autant individuelles qu'organisationnelles[15].

CONNAISSANCES	
PROBLÈMES DE SAVOIR	
Surcharge d'information	• Les nouveaux médias : internet, intranet, courriel • Les médias traditionnels : journaux, revues, télévision • Les réunions et les rapports
Connaissances insuffisantes	• Nouveauté des problèmes • Complexité et ambiguïté des problèmes
Perte de connaissance	• Mouvement du personnel : retraite, promotion, délocalisation • Déficit de codification et changement des routines
Variété des savoirs	• Les savoirs intergénérationnels, interdisciplinaires, interfonctionnels et interculturels
GESTION DES CONNAISSANCES	•
Les mécanismes	• **Socialisation** : acquisition du savoir tacite de l'organisation par coaching, mentorat, observation et imitation • **Intériorisation** : transformer la connaissance explicite en savoir tacite par la réalisation de mandats, par l'apprentissage sur le «tas» et par l'expérimentation • **Articulation** : transformation du savoir tacite en connaissances explicites par la construction de règles, de procédures et par la verbalisation du savoir • **Combinaison** : transformer la connaissance explicite en d'autres connaissances explicites par les technologies de l'information et par la mise en commun du savoir lors des réunions et du travail en équipe
Les pratiques	• **Gestion virtuelle** : communauté de pratique • **Gestion de groupe** : coaching • **Gestion individuelle** : mentorat • **Gestion comparative** : *benchmarking*
Gestion de l'information	• **Acquérir :** veille, formation, experts, consultants • **Mémoriser** : inventaire, banques de données et formalisation dans des modèles intégrateurs • **Distribuer** : intranet, courriel et formation continue • **Appliquer** : progiciels, portails, mandats, tâches, rôles

LES CHANTIERS PSYCHOLOGIQUES : LES ÉQUIPES

Les équipes de travail sont au cœur de la réalité psychologique des organisations. C'est là que les membres de l'organisation se réalisent, développent leurs compétences et acquièrent leurs savoirs. C'est également par les équipes que se fait l'intégration des nouveaux au sein de l'organisation. C'est donc dire que pour les gestionnaires soucieux de construire une relève tout en maintenant un certain niveau d'efficacité, la gestion des équipes est un chantier de toute première importance.

GESTION DES ÉQUIPES	
Objectifs	• L'équipe doit réaliser des objectifs précis • Les membres de l'équipe comprennent les objectifs • Les membres de l'équipe sont motivés par les objectifs • Les membres de l'équipe adhèrent aux objectifs • Les niveaux de productivité attendus sont précis
Organisation	• Les rôles et les responsabilités sont clairement définis • La distribution du travail au sein de l'équipe est équitable • Le travail à faire nécessite réellement un effort d'équipe
Compétence	• La compétence de chacun des membres de l'équipe est claire • Les compétences sont complémentaires • L'équipe favorise le partage et l'acquisition de nouvelles compétences
Coordination	• L'équipe prend des décisions • L'équipe sait résoudre les conflits • L'équipe sait mettre en valeur les connaissances de chacun • L'équipe adopte un mode coopératif de fonctionnement
L'esprit d'équipe	• L'équipe a une identité collective • Le travail d'équipe repose sur des valeurs et des normes communes • Les normes et les valeurs de l'équipe contribuent à la réalisation des objectifs • Les membres de l'équipe s'identifient à elle
Apprentissage	• L'équipe est un espace d'apprentissage • L'équipe est un lieu de socialisation et d'intégration • L'équipe réalise fréquemment son autoévaluation • L'équipe pratique la gestion de connaissance

LA PERSPECTIVE PSYCHOLOGIQUE : LE CHOC DES ATTENTES

La perspective psychologique centre l'attention sur les attentes des uns et des autres et fait alors apparaître cinq grands espaces de rencontre de ces attentes. Si l'idéal administratif est de pouvoir concilier les attentes de tous au sein d'un véritable espace de fusion des attentes, il n'est pas rare que dans la réalité, la rencontre des attentes engendre plutôt des espaces conflictuels.

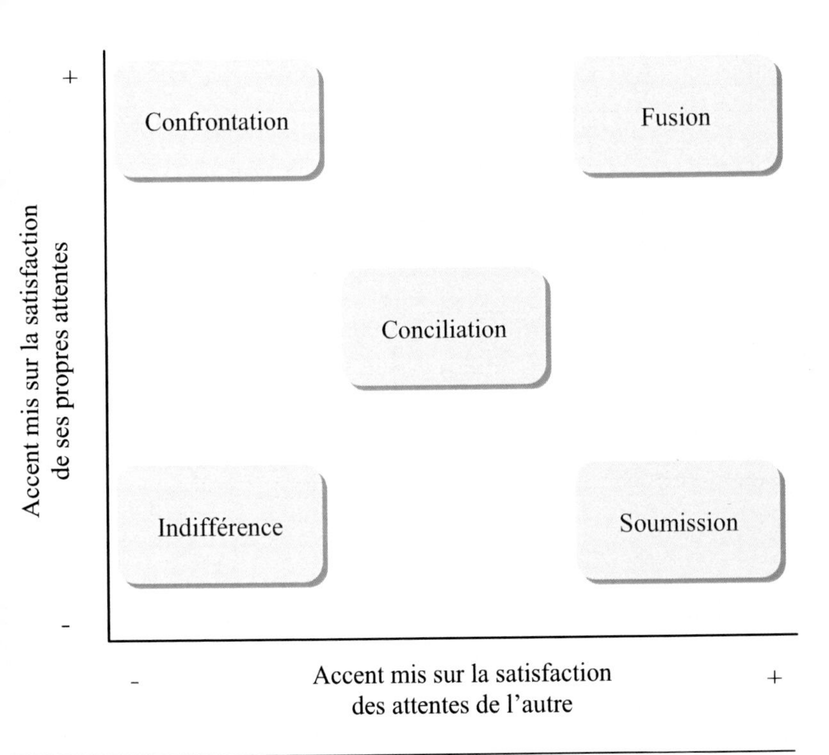

LA PERSPECTIVE PSYCHOLOGIQUE : SYNTHÈSE

	PERSPECTIVE PSYCHOLOGIQUE
HABILETÉS	
Motiver	– – –
Dialoguer	– – –
Coacher	– – –
LEVIERS	
Besoins	– – –
Connaissances	– – –
Compétences	– – –
CHANTIERS	
Santé	– – –
Apprentissage	– – –
Équipes	– – –

NOTES ET RÉFÉRENCES

1. Sur la mise au jour de ces perspectives, voir notamment : Allison, G.T., *Essence of Decision,* Boston : Little Brown, 1971; Morgan, G., *Images de l'organisation, 2e édition,* Québec : Presses de l'Université Laval, 1999; Bolman, L.G. et T.E. Deal, *Repenser les organisations,* Paris : Maxima, 1996.
2. La perspective technique trouve son origine dans l'œuvre de Fayol. Voir : Fayol, H., *Administration industrielle et générale,* Paris : Dunod, 1979. Voir aussi : Koontz, H. et C. O'Donnell, *Management. Principes et méthodes de gestion.* Paris : McGraw-Hill, 1978.
3. L'idée d'une direction par objectif a, historiquement, été formulée par Peter F. Drucker et popularisée par George S. Odiorne. Voir : Drucker, P. F. *La pratique de la direction des entreprises.* Paris : Les Éditions d'organisation, 1957 et Odiorne, G. S., *Management by Objectives : A System of Managerial Leadership,* NY : Pitman, 1955.
4. Sur la pensée stratégique voir: notamment : Andrews, K.R., *The Concept of Corporate Strategy,* Homewood, Ill : Irwin, 1971; Learned, E.P, Christensen, C.R., Andrews, K.E, Guth, W.D., *Business Policy,* Homewood, Ill : Irwin, 1965; Porter, M.E., *Choix stratégiques et concurrence,* Paris : Économica, 1982; Porter, M. E., *L'avantage concurrentiel.,* Paris : InterÉditions, 1986.
5. Sur la réingénierie des processus d'affaires, voir notamment: Hammer, M. et J. Champy, *Reengineering the Corporation,* New York : Harper, 1993.
6. Cette classification des méthodes s'inspire de la classification des styles de leadership mis au jour par Robert R. Blake et Joan S. Mouton. Voir : Blake, R. R. et J. S. Mouton, *The Managerial Grid. Key Orientations for Achieving Production Through People,* Houston: Gulf Publ., 1964.
7. Pour un survol de cette perspective, voir, notamment : Braybrooke, D. et C.E. Lindblom, *A Strategy of Decision,* NY: The Free Press, 1963; Cyert, R. M. et J. G. March, *A Behavioral Theory of the Firm.* Englewood Cliffs: Prentice-Hall, 1963; Jarniou, P., *L'entreprise comme système politique,* Paris : PUF, 1981; March, J. G., *Decisions and Organizations,*NY: Basil Blackwell, 1988; Wildavsky, A., *The Politics of the Budgetary Process*. Boston: Little, Brown and co., 1979.
8. Sur les coalitions, voir notamment: Mintzberg, H., *Le pouvoir dans les organisations,* Paris : Éditions d'Organisation, 1986 et Freeman, R.E., *Strategic Management. A Stakeholder Approach,* Boston: Pitman, 1984.
9. Pour un survol de cette perspective voir: Chanlat, A., *Gestion et culture d'entreprise,* Montréal : Éditions Québec/Amériques, 1984; Iribarne, P. (d'), *La logique de l'honneur,* Paris : Seuil, 1989; Deal, T.E. et A.A. Kennedy, *Corporate Cultures,* Reading, MA, Addison-Wesley, 1982; Schein, E., *Organizational Culture*

and Leadership, San Francisco: Jossey-Bass, 1985; Hofstede, G.H., *Culture's Consequences, International Differences in Work-related Values,* Beverly Hills, CA, Sage publications, 1980; Ouchi, W.G., *Theory Z,* Reading, MA, Addison-Wesley, 1981; Peters, T.H et R.H Waterman, *In Search of Excellence,* New York, Harper & Row, 1982.

10. Selon Boltanski et Thévenot, desquels sont tirés ces enjeux symboliques, la vie en société est marquée par la présence d'accords et de désaccords dans les interactions humaines. Ces accords et désaccords témoignent de l'existence d'une diversité de valeurs que les humains mobilisent au fil de leurs interactions. Toujours selon Boltanski et Thévenot, il existerait des mondes politiques idéaux qui, chacun, logerait en leur sein un grand principe intégrateur. En nous inspirant librement de la théorie de Boltanski et Thévenot, nous pouvons identifier six archétypes de cultures, à savoir les cultures de l'innovation, traditionnelle, de prestige, civique, marchande et professionnelle. Chacune de ces cultures met en action des valeurs dominantes, des qualités valorisées, des défauts méprisés, des actions jugées déterminantes et des rôles sociaux tenus pour exemplaires. Voir : Boltanski, L. et L. Thévenot, *De la justification,* Paris : Gallimard, 1991.
11. Sur le concept de vision, voir : Senge, P., *The Fifth Discipline,* New York, Doubleday, 1990.
12. La perspective psychologique trouve sa source dans les travaux des fondateurs de l'*École des relations humaines.* Voir : Mayo, E., *The Human Problems of an Industrial Civilization,* New York : Macmillan, 1933 et Roethlisberger, F.J., Dickson, W.J., *Management and the Worker*, Cambridge: Harvard University Press, 1939. Voir aussi: Argyris, C., *Personality and Organization,* New York, Harper & Row, 1957; Herzberg, F., *Work and the Nature of Man,* Cleveland : World publ., 1960; McGregor, D., *The Human Side of Enterprise,* NY: McGraw-Hill, 1960; Likert, R., *New Patterns of Management,* New York : McGraw-Hill, 1961
13. Maslow, A.H., *Motivation and Personality,* New York : Harper and Row, 1954.
14. Voir: Coleman, D. *Emotional Intelligence,* NY : Bantam, 1995.
15. Sur la gestion des connaissances, voir, en particulier : Nonaka I. et H. Takeuchi, *The Knowledge-Creating Company,* New York: Oxford University Press, 1995 et Baumard, P., *Organisations déconcertées. La gestion stratégique de la connaissance,* Paris: Masson, 1996.

BIBLIOGRAPHIE

Allison, G.T., *Essence of Decision,* Boston : Little Brown, 1971.
Andrews, K.R., *The Concept of Corporate Strategy,* Homewood, Ill : Irwin, 1971.
Argyris, C., *Personality and Organization,* New York, Harper & Row, 1957.
Baumard, P., *Organisations déconcertées. La gestion stratégique de la connaissance,* Paris: Masson, 1996.
Blake, R. R.,et J. S. Mouton, *The Managerial Grid. Key,* Houston: Gulf Publ., 1964.
Bolman, L. G. et T.E. Deal, *Repenser les organisations*, Paris : Maxima, 1996.
Boltanski, L. et L. Thévenot, *De la justification,* Paris : Gallimard, 1991.
Boltanski, L. et E. Chiapello, *Le nouvel esprit du capitalisme,* Paris : Gallimard, 1999.
Braybrooke, D. et C.E. Lindblom, *A Strategy of Decision,* New York: The Free Press, 1963.
Brilman, J., *Les meilleures pratiques de management,* Paris : Éditions d'Organisation, 2006.
Chanlat, A., *Gestion et culture d'entreprise,* Montréal : Éditions Québec/Amériques, 1984.
Coleman, D. *Emotional Intelligence,* New York: Bantam, 1995.
Cyert, R. M. et J. G. March, *A Behavioral Theory of the Firm.* Englewood Cliffs: Prentice-Hall, 1963.
Deal, T.E. et A.A. Kennedy, *Corporate Cultures,* Reading, MA, Addison-Wesley, 1982.
Drucker, P. F. *La pratique de la direction des entreprises.* Paris : Les Éditions d'organisation, 1957.
Fayol, H., *Administration industrielle et générale,* Paris : Dunod, 1979.
Freeman, R.E., *Strategic Management. A Stakeholder Approach,* Boston: Pitman, 1984.
Hammer, M. et J. Champy, *Reengineering the Corporation,* New York: Harper, 1993.
Hellriegel, D. et J. W. Slocum, *Management des organisations,* Bruxelles : De Boeck, 2006.
Herzberg, F., *Work and the Nature of Man,* Cleveland: World publ., 1960.
Hofstede, G.H., *Culture's Consequences,* Beverly Hills, CA, Sage publications, 1980.
Iribarne, P. (d'), *La logique de l'honneur,* Paris : Seuil, 1989.
Jarniou, P., *L'entreprise comme système politique,* Paris : PUF, 1981.
Koontz, H. et C. O'Donnell, *Management. Principes et méthodes de gestion.* Paris: McGraw-Hill, 1978.
Learned, E.P, Christensen, C.R., Andrews, K.E, Guth, W.D., *Business Policy,* Homewood, Ill: Irwin, 1965.
Likert, R., *New Patterns of Management,* New York: McGraw-Hill, 1961
March, J. G., *Decisions and Organizations*, New York: Basil Blackwell, 1988.
Maslow, A.H., *Motivation and Personality,* New York: Harper and Row, 1954.
Mayo, E., *The Human Problems of an Industrial Civilization,* New York: Macmillan, 1933.
McGregor, D., *The Human Side of Enterprise,* New York: McGraw-Hill, 1960.
Mintzberg, H., *Le pouvoir dans les organisations,* Paris : Éditions d'Organisation, 1986.
Morgan, G., *Images de l'organisation, 2e édition,* Québec : Presses de l'Université Laval, 1999.
Nonaka I. et H. Takeuchi, *The Knowledge-Creating Company,* New York: Oxford University Press, 1995.
Odiorne, G. S., *Management by Objectives : A System of Managerial Leadership,* New York: Pitman, 1955.
Ouchi, W.G., *Theory Z,* Reading, MA, Addison-Wesley, 1981.
Peters, T.H et R.H Waterman, *In Search of Excellence,* New York: Harper & Row, 1982.
Porter, M. E., *L'avantage concurrentiel.,* Paris : InterÉditions, 1986.
Porter, M.E., *Choix stratégiques et concurrence,* Paris : Économica, 1982.
Roethlisberger, F.J., Dickson, W.J., *Management and the Worker*, Cambridge: Harvard University Press, 1939.
Schein, E., *Organizational Culture and Leadership,* San Francisco: Jossey-Bass, 1985.
Senge, P., *The Fifth Discipline,* New York, Doubleday, 1990.
Wildavsky, A., *The Politics of the Budgetary Process.* Boston: Little, Brown and co., 1979.
Wren, D., A., *The Evolution of Management Thought,* New York: John Wiley & Sons, 1994.